cat

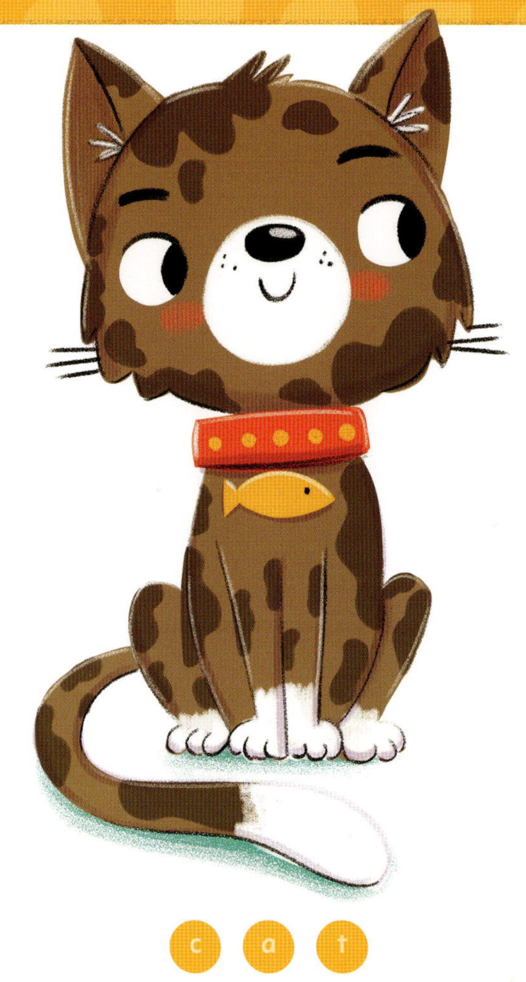
c a t

red

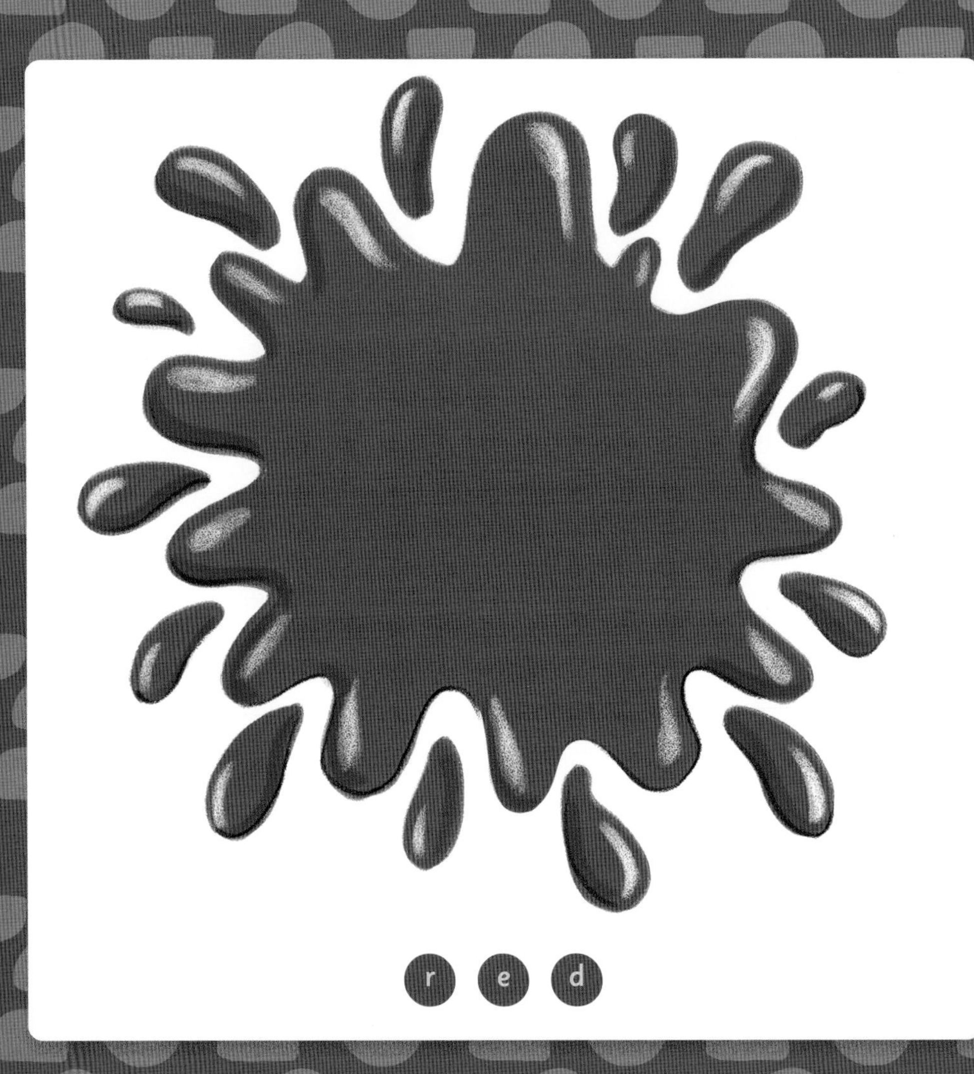
r e d

hat

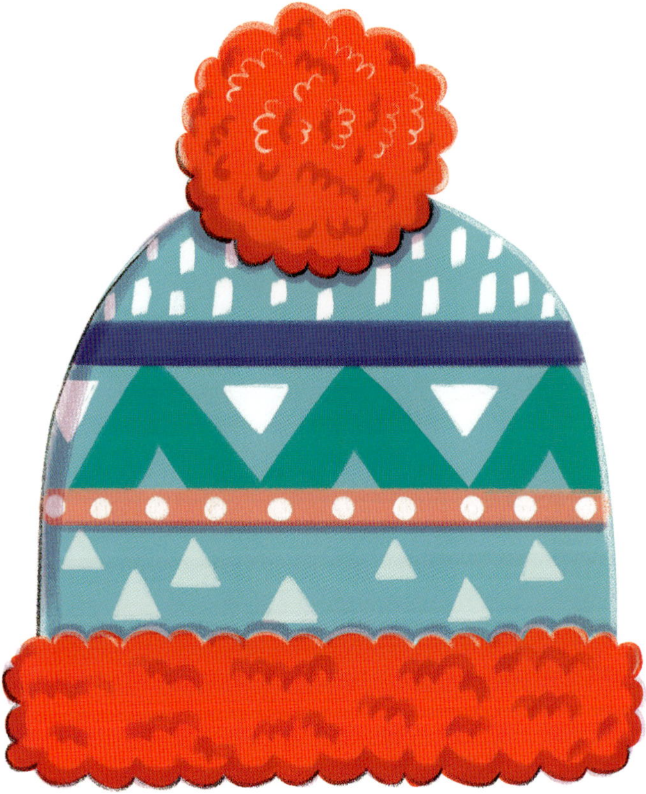

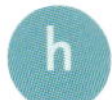
h
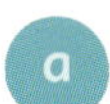
a

t

ink

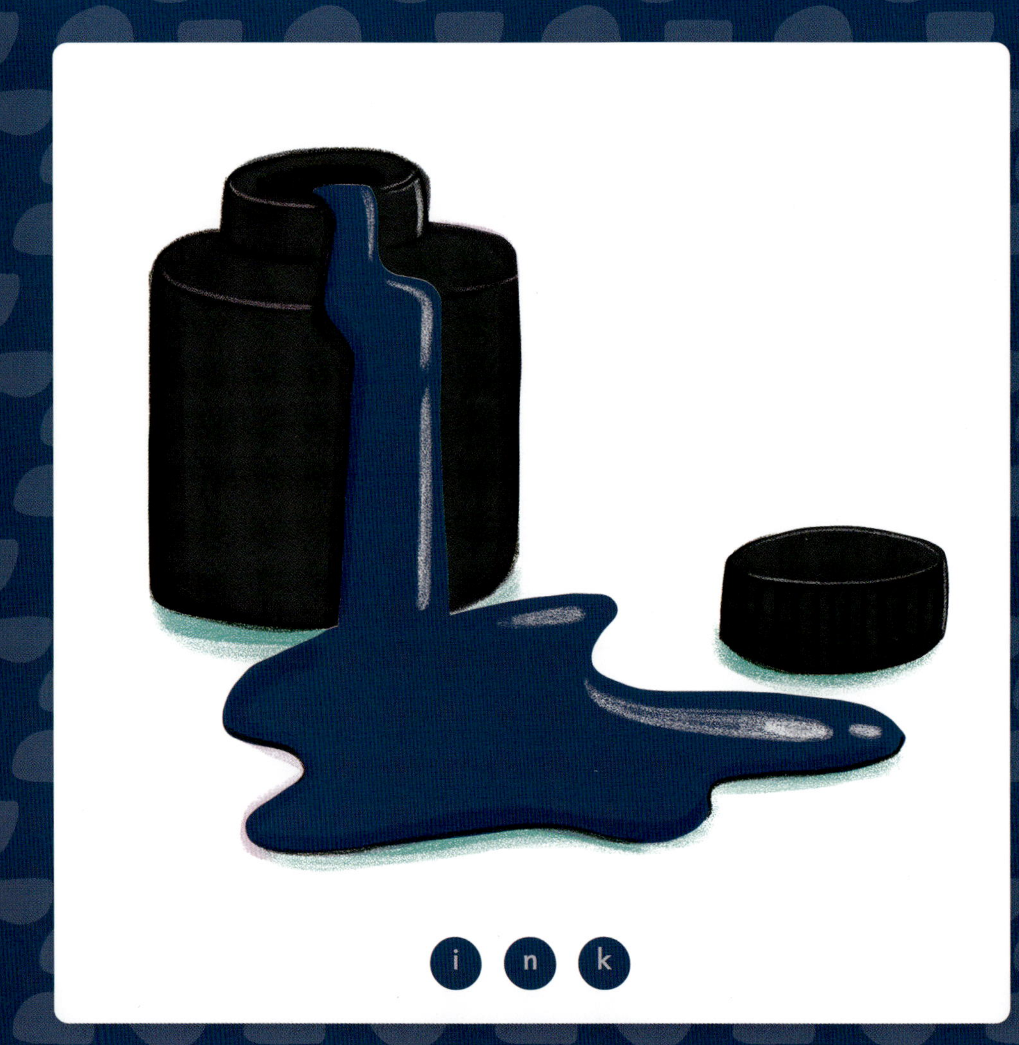
i n k

men

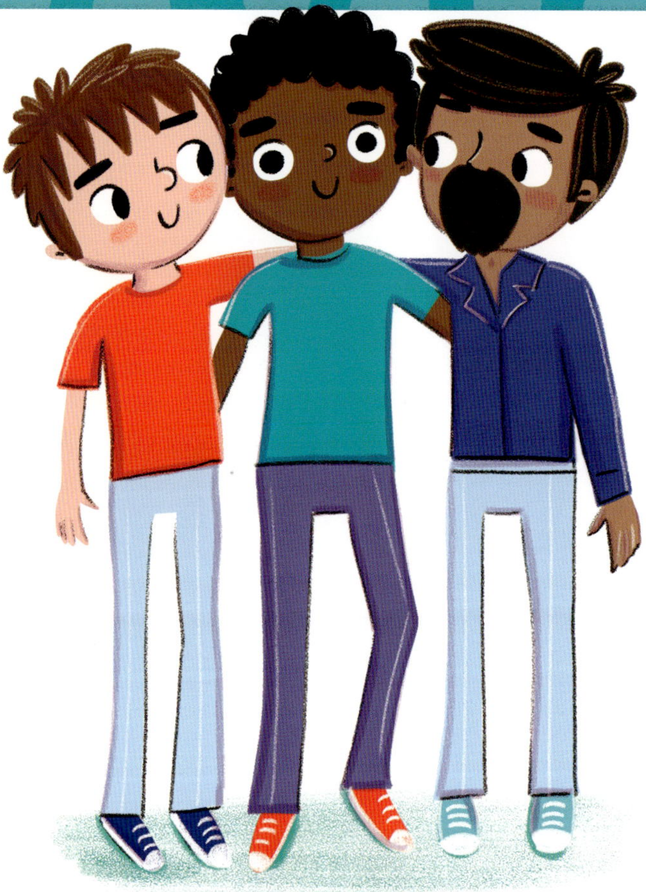

m
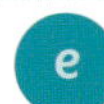
e

n

ten

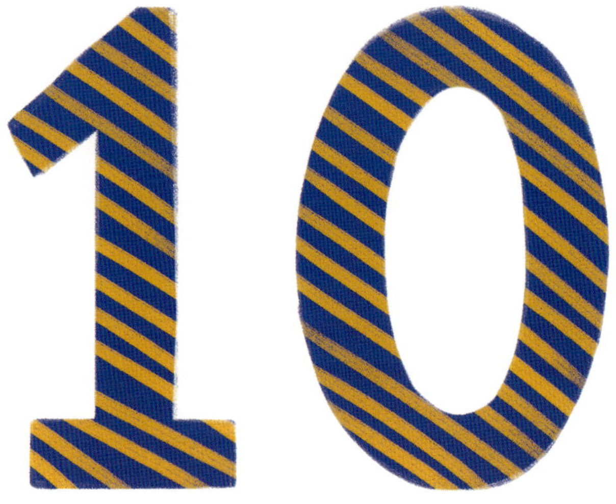

t e n

tent

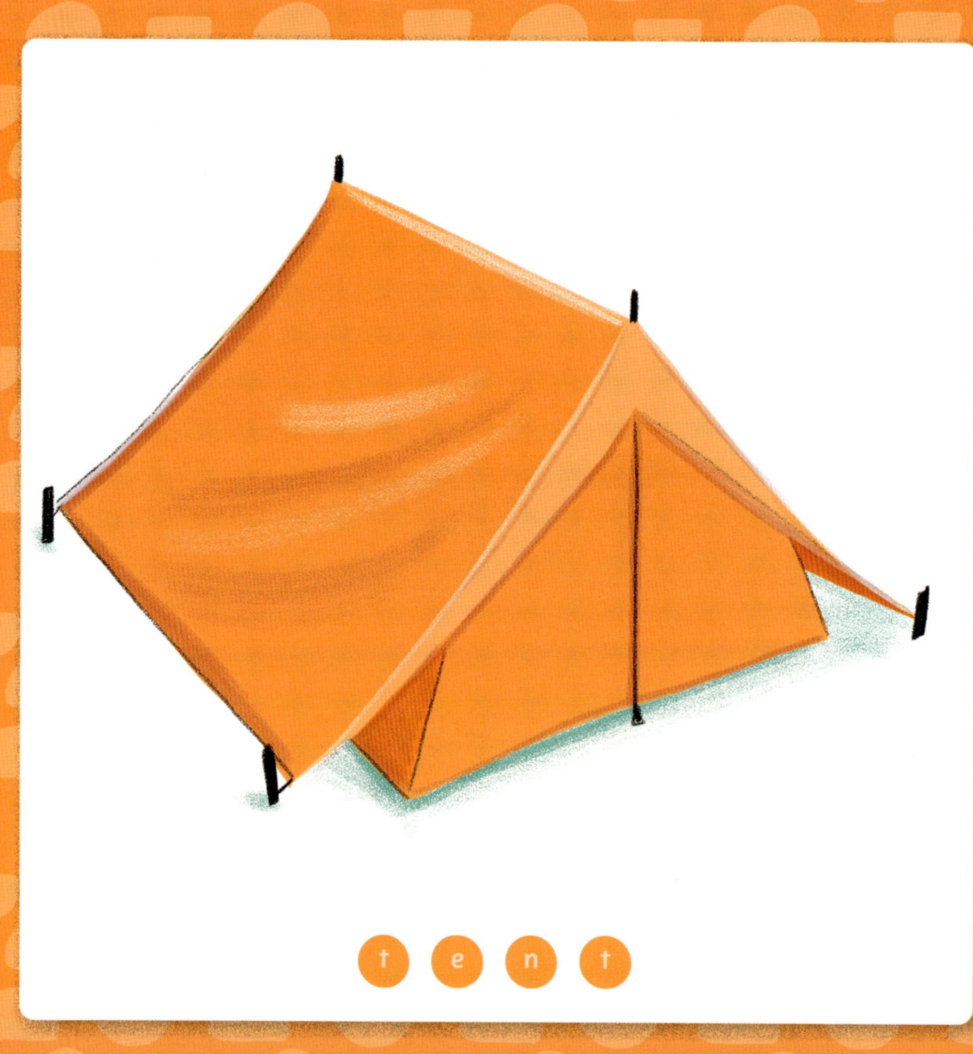
t e n t

tennis

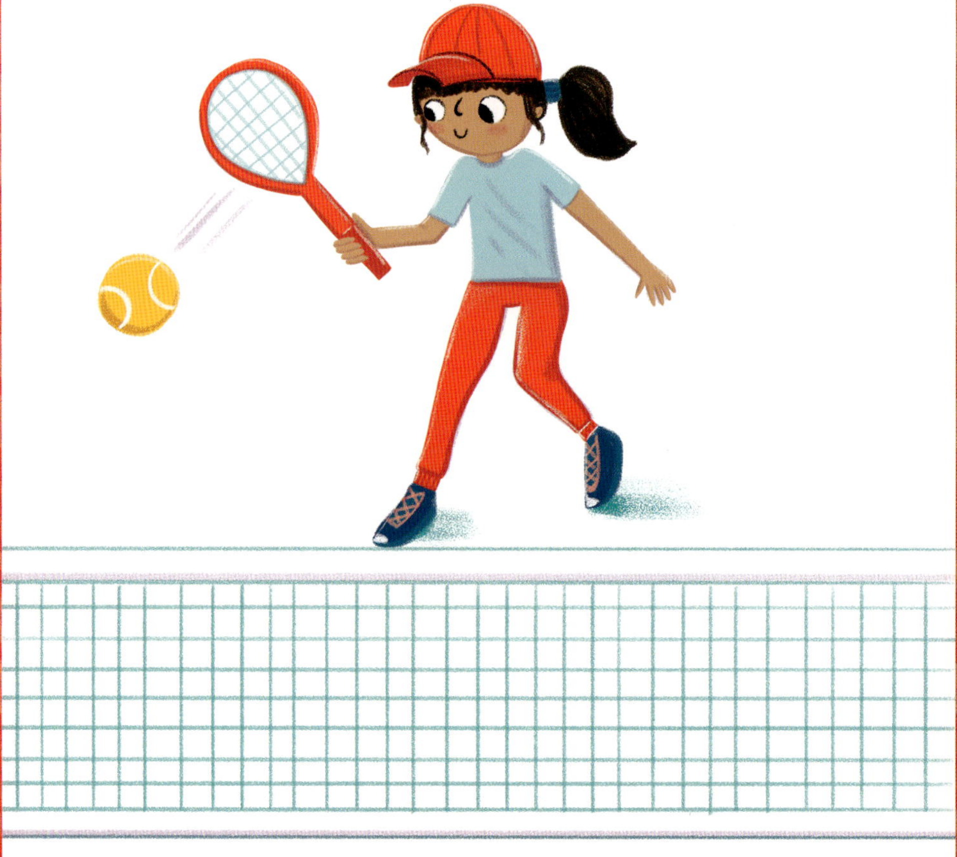

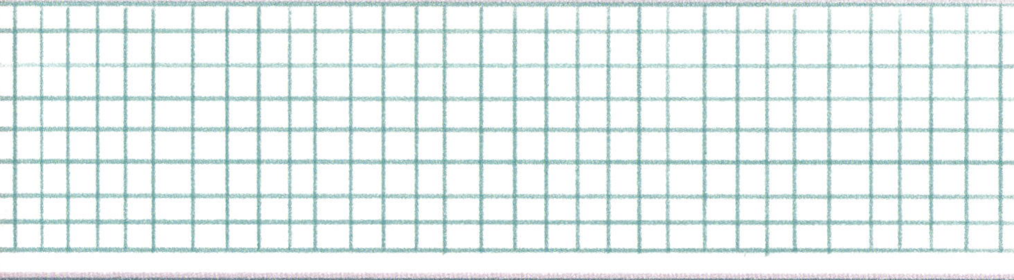

t e nn i s